ISBN 978-2-211-09526-6
Première édition dans la collection *lutin poche* : mai 2009
© 1998, l'école des loisirs, Paris
Loi numéro 49 956 du 16 juillet 1949 sur les publications
destinées à la jeunesse : septembre 1998
Dépôt légal : mai 2009
Imprimé en France par Aubin Imprimeurs à Poitiers

ALAN METS

GRRICK

lutin poche de l'école des loisirs
11, rue de Sèvres, Paris 6ᵉ

Mon histoire commence la veille des vacances de Noël.
Comme d'habitude j'étais parti à l'école en grognant.
Mais je ne devais jamais arriver, parce que ma route
a croisé un truc incroyable.

Une énorme soucoupe volante a atterri devant mon nez,
comme dans les films de science-fiction, avec un tonnerre
de fin du monde.
Une grosse pince est sortie et… Crac !
Enfermé dans la cale sombre,
j'ai pas beaucoup vu les étoiles.

Une lumière s'est allumée.
Une espèce de gros cornichon de l'espace me regardait.
Mais bon, c'est plutôt moi qui avais l'air d'un cornichon
dans son bocal.
J'aurais voulu te le réduire en miettes, ce gros légume.

Avec un joli papier bleu et un joli ruban orange,
le grand cornichon a emballé ma cage
et m'a transformé en paquet-cadeau…
Enfin j'imagine, parce que moi j'étais dans le noir.
J'y suis resté un certain temps.

Le papier a été déchiré et j'ai pu voir un autre cornichon,
plus petit. Il avait l'air malade avec sa tête
couleur de salade mâchée.
On m'avait offert comme animal de compagnie !
J'étais devenu un toutou téléguidé, un jouet.
Un jouet que le petit cornichon trouvait épatant.
Du coup, il avait déjà meilleure mine.

Au bout de quelques jours, j'en ai eu vraiment marre
de leurs cornichonneries.
J'ai tapé de toutes mes forces dans la vitre :
« Je ne suis pas un jouet à cornichons ! Je suis un petit cochon ! »
Mais le petit cornichon ça l'a fait doucement rigoler.
Alors je me suis mis en colère. J'ai shooté dans mon cartable.
Les feuilles volaient partout dans la cage.

Avec ma colle en bâton, j'ai collé les feuilles sur les vitres.
Voilà, comme ça, j'avais la paix !

Pauvre cornichon ! Son jouet était cassé.
Il a ouvert la porte de ma cage
pour voir ce qui se passait…
Ce qu'il a vu, c'est mon poing !
Non mais !

Je dois dire qu'il s'est battu
comme un vrai cochon.
On s'est retrouvés K.-O. tous les deux.
Et ça nous a bien fait marrer.

Pour guérir nos blessures, il m'a conduit à la rivière.
On a couru dans les forêts. On s'est vautrés dans les prés.
On a plongé dans les lacs.
C'était un copain assez potable, en fait.

« Grrick ! Qu'est-ce que tu fais ? »
a tonné une grosse voix.
Une main de fer m'a attrapé par l'oreille.
« Tu vas remettre ce petit animal dans sa cage
tout de suite ! »
« Non papa ! » a dit Grrick. « C'est mon ami. »

Ce soir-là, je me suis couché libre
dans la chambre de mon nouveau pote.
Grrick s'est endormi. Moi, pas.

Alors j'ai traîné dans la maison.
Dans la cuisine, j'ai vu les clefs de la soucoupe volante.

C'est comme ça que j'ai retrouvé mes parents.
Je leur ai tout raconté.
Eux, ils trouvaient que j'avais bien fait…
Mais moi je m'en voulais un peu d'être parti
comme un voleur.
Le souvenir de Grrick ne voulait pas s'effacer.

Une nuit, quelqu'un m'a réveillé
en me secouant gentiment. C'était Papa Cornichon.
« Grrick est très malade », il m'a dit, « il faut vraiment
que tu viennes. Je ne vois pas d'autre solution. »
Alors je l'ai suivi.

Quelques jours après mon arrivée,
Grrick allait déjà beaucoup mieux.
C'est sûr qu'il va guérir.
Et que, par-delà les étoiles,
on restera copains comme cornichons.